LES SECRETS D'UN NOUVEAU-NÉ

Le nouveau-né qui est dans son berceau, c'est quelqu'un qui vient de vivre une grande aventure : cela fait des mois que, dans le ventre de sa maman, il se prépare activement à naître. Bercé par les mouvements de sa mère et par le doux bruit des petites vagues de son nid liquide, il a tout doucement commencé à découvrir dans l'obscurité la vie et le monde.

UN EXTRAORDINAIRE ITINÉRAIRE

Avant de devenir cette petite personne, le bébé se transforme dans le ventre de sa mère : il passe par des étapes qui ressemblent à celles que l'homme a parcourues au cours des siècles pour devenir le plus évolué des mammifères supérieurs, un être humain.

Petit à petit, son corps et son intelligence se construisent. Jour après jour, son cerveau et ses organes des sens se développent, ses parents le sentent devenir de plus en plus présent, sa mère apprend à tenir compte de ses réactions et il se crée des liens privilégiés entre eux trois.

NAÎTRE

Et c'est le jour si précieux de sa naissance. Depuis le moment de sa création jusqu'au jour où nous pouvons le voir, il a déjà eu beaucoup d'expériences, cela fait longtemps qu'il ressent, qu'il éprouve et qu'il réagit.

Lorsqu'il vient au monde, il ne sait pas encore parler mais si on l'observe bien, on s'aperçoit qu'il dit beaucoup de choses avec ses mimiques, ses gestes, ses regards et sa voix. Il continue à communiquer avec son entourage de tout son corps et de toute sa sensibilité, riche de sa vie passée dans le ventre de sa maman et curieux de découvrir le monde qui l'entoure.

Et il faudrait vraiment ne rien savoir de tout cela, ou avoir tout oublié, pour parler à ce nouveau-né comme si sa vie venait de commencer seulement au moment où on peut le voir !

UN HOMME UNE FEMME

POUR FAIRE UN ENFANT

Tout a commencé il y a environ neuf mois. Un homme et une femme ont eu envie ensemble de faire l'amour. Peut-être voulaient-ils un enfant mais peut-être non. Ils ont eu envie de se rapprocher, se sont embrassés, caressés, peut-être se sont-ils dit des mots d'amour.

Ils ont voulu se serrer très près l'un de l'autre pour que leurs sexes se rencontrent et ainsi ils se sont donné du plaisir avec leur corps.

Un enfant peut profiter de cette rencontre pour entrer dans la vie.

D'ABORD S'AIMER

Lorsqu'un homme et une femme font l'amour, le sexe de l'homme, qui s'appelle le pénis, durcit ; l'homme le fait pénétrer dans le sexe de la femme, le vagin, et sous l'effet de son plaisir, un liquide jaillit et s'y répand : c'est le sperme. Il contient des milliers de cellules de vie.

Ces cellules de vie chez l'homme s'appellent des *spermatozoïdes* ; elles devront rencontrer une cellule de vie de la femme, l'*ovule*, pour qu'un enfant puisse être conçu.

LES RÉSERVES DE VIE

Les spermatozoïdes sont logés dans les *testicules*, ces deux petites boules situées sous le pénis.

Chez la femme, les ovules sont cachés dans deux petites glandes en forme d'amande, les *ovaires*, qui se trouvent à l'intérieur de son ventre.

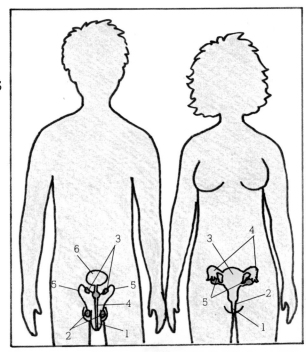

Organes génitaux :
Homme : 1 Pénis ou verge. 2 Testicules.
3 Vésicules séminales.
4 Urètre. 5 Canaux déférents. 6 Vessie.
Femme : 1 Vulve. 2 Vagin. 3 Utérus.
4 Trompes de Fallope. 5 Ovaires.
Sur ce dessin vu de face, la vessie, qui se situe devant l'utérus, n'a pu être figurée.

Tout à côté des ovaires, les trompes de Fallope sont prêtes à recueillir les ovules. Les trompes de Fallope, ce sont les prolongements de l'utérus, cette toute petite poche qui sera la première maison du bébé, où il va vivre les 9 premiers mois de sa vie. L'utérus est si élastique qu'il peut s'élargir jusqu'à contenir un bébé de 3 kilos.

En temps normal, il mesure 6 à 7 centimètres et peut contenir autant de liquide qu'un dé à coudre et quand le bébé est prêt à naître, il mesure 32 centimètres et pourrait contenir 3 à 4 litres.

LE SPERMATOZOÏDE A RENDEZ-VOUS AVEC L'OVULE

Chaque mois, tout se prépare dans le corps de la femme comme si ce rendez-vous allait avoir lieu : l'utérus se capitonne, ses parois s'épaississent pour qu'un bébé puisse s'y installer.

Spermatozoïde

L'ovule

A un moment précis du mois, les ovaires de la femme produisent un ovule qui reste pendant quelque temps (environ 3 jours) en haut de la trompe de Fallope, où il attend le spermatozoïde. C'est pendant ces quelques jours seulement que l'homme et la femme qui font l'amour peuvent concevoir un enfant. Si le spermatozoïde ne se présente pas au bon moment, il n'y a pas de conception.

Ovule

Le chemin du spermatozoïde

Les spermatozoïdes que l'homme a placés dans le vagin de la femme ont un très long chemin à faire : ils doivent remonter dans l'utérus puis dans la trompe de Fallope.

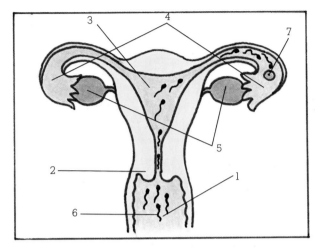

1 Vagin
2 Col de l'utérus
3 Utérus
4 Trompes de Fallope
5 Ovaires
6 Spermatozoïdes
7 Ovule

Si l'ovule n'est pas encore là, ou bien s'il a trop attendu et qu'il ne peut plus donner la vie, alors le rendez-vous n'aura pas lieu : le petit matelas que l'utérus avait préparé pour le bébé s'en va, l'ovule s'en va aussi, entraînant un peu de sang. Ce sont les règles qui s'écoulent chaque mois par le sexe de la femme.

La rencontre

En revanche, si les spermatozoïdes arrivent au bon moment, le rendez-vous peut réussir : sur les millions de spermatozoïdes, un seul peut pénétrer dans l'ovule, ensemble ils vont créer une nouvelle cellule, un *œuf*.

1 Le spermatozoïde entre dans l'ovule
2 L'œuf commence à se diviser en 4 cellules
3 L'œuf tel qu'il est au moment de la nidation

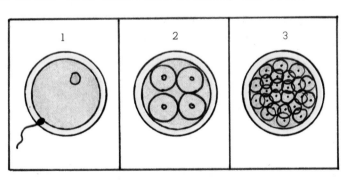

C'est cet œuf qui donnera le bébé : la *grossesse* est ce merveilleux travail de fabrication du bébé qui dure environ 9 mois, depuis sa conception jusqu'à ce qu'il soit prêt à naître.

UN PASSEPORT POUR LA VIE

L'ovule et le spermatozoïde contiennent chacun un petit filament, les *chromosomes* sexuels.

Dans l'ovule, c'est un chromosome ayant la forme d'un X, dans le spermatozoïde, il a la forme d'un X ou d'un Y. Lorsque l'ovule et le spermatozoïde se rencontrent, s'ils mettent en commun deux chromosomes X, cela donnera un bébé fille, s'ils mettent en commun un chromosome X et un Y, cela donnera un bébé garçon.

C'est donc du spermatozoïde et de lui seul que dépend le sexe du bébé, et c'est tout de suite, dès sa rencontre avec l'ovule en haut de la trompe de Fallope, que cela se décide.

UN PETIT BOURGEON SUR UN GRAND ARBRE GÉNÉALOGIQUE

Lorsque les parents du bébé se sont rencontrés, et avant eux leurs parents et les parents de leurs parents, ils ont transmis à leurs enfants un héritage : les yeux bleus de l'un ou la couleur de peau de l'autre, la grandeur de leurs oreilles, le rythme de sommeil et bien d'autres choses encore, comme certaines maladies ou le groupe sanguin par exemple. Tout cela est inscrit dans les *gènes*. Les gènes sont les petites particules qui forment les chromosomes, ce sont eux qui portent le message génétique. Ils sont un peu la mémoire de la famille.

QUOI DE NEUF DANS UN ŒUF ?

Chaque spermatozoïde, chaque ovule porte sur ses chromosomes des gènes différents qui permettent des milliers de combinaisons différentes.

Ainsi le bébé aura peut-être les yeux bleus du grand-père, qui les tenait de son arrière-grand-père, grenadier de Napoléon, le nez en trompette de la maman, les grands pieds du papa... Mais pas les yeux noirs de la tante, le petit menton de la grand-mère, ni les oreilles décollées de l'arrière-grand-oncle.

bébé

mère

père

1

2

3

4

6

7

9

11

5

8

10

12

6-8 Arrière-grands-pères maternels
5-7 Arrière-grands-mères maternelles
2 Grand-père maternel
1 Grand-mère maternelle

Arrière-grands-pères paternels 10-12
Arrière-grands-mères paternelles 9-11
Grand-père paternel 4
Grand-mère paternelle 3

Dans ce bel arbre, nous avons suspendu
les portraits de quatre générations d'une famille :
les arrière-grands-parents, les grands-parents, les parents, le bébé.

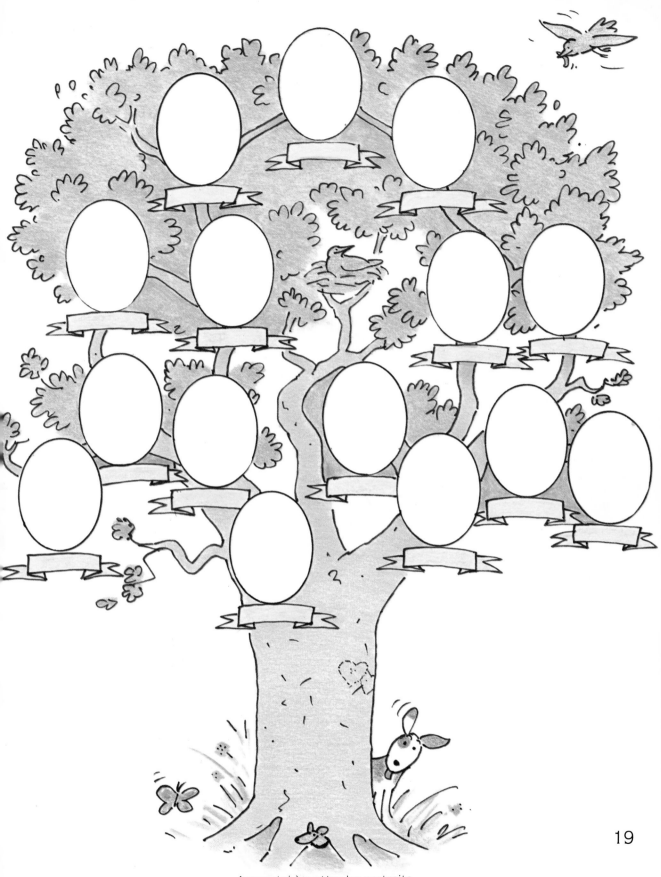

Amuse-toi à mettre les portraits
des personnes de ta famille dans cet arbre.

Ce qui est neuf dans chaque œuf, c'est cette combinaison. Personne au monde ne sait pourquoi c'est celle-là qui se réalise plutôt qu'une autre, mais ce qui est sûr, c'est que chaque bébé est unique : aucun autre bébé, même s'il est du même papa et de la même maman, ne sera pareil.

CHAQUE BÉBÉ EST UNE SURPRISE

Si le papa et la maman ont tous les deux les yeux noirs, ils mettront en circulation plus de gènes « yeux noirs », il y aura donc plus de chances pour que leurs enfants aient les yeux noirs. Pour la couleur de la peau, c'est la même chose, c'est ce qui explique qu'il existe des races à l'intérieur desquelles les gens se ressemblent comme dans les familles.

Au contraire, lorsque les parents sont porteurs de gènes très différents, beaucoup de variations sont possibles : un papa à la peau noire et une maman à la peau blanche peuvent faire des bébés dont la couleur de peau peut varier du noir jusqu'au blanc en passant par beaucoup de nuances.

UNE EXCEPTION : LES JUMEAUX

Quand on trouve deux petites amandes dans une seule coque, on peut faire un vœu ou jouer à Philippine. Il arrive aussi qu'il y ait deux bébés ensemble dans le ventre d'une maman. Cela arrive une fois sur cent naissances : ce sont des jumeaux.

Les vrais jumeaux : ils sont rares et leur histoire est étonnante. Un ovule rencontre un spermatozoïde. L'œuf se divise en deux, tous les gènes se divisent en deux ; les deux œufs ont ainsi le même héritage génétique : cela donne deux enfants du même sexe, absolument identiques.

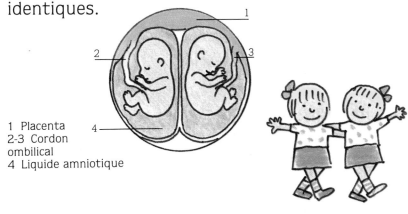

1 Placenta
2-3 Cordon ombilical
4 Liquide amniotique

Les faux jumeaux : deux ovules rencontrent deux spermatozoïdes. Les bébés peuvent être du même sexe ou pas et ne pas se ressembler du tout. Leurs combinaisons génétiques sont différentes, mais seulement ils vivent ensemble les neuf premiers mois de leur vie dans l'utérus de leur mère.

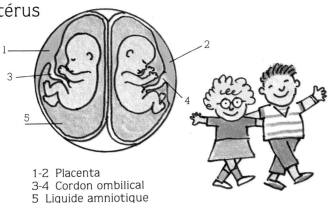

1-2 Placenta
3-4 Cordon ombilical
5 Liquide amniotique

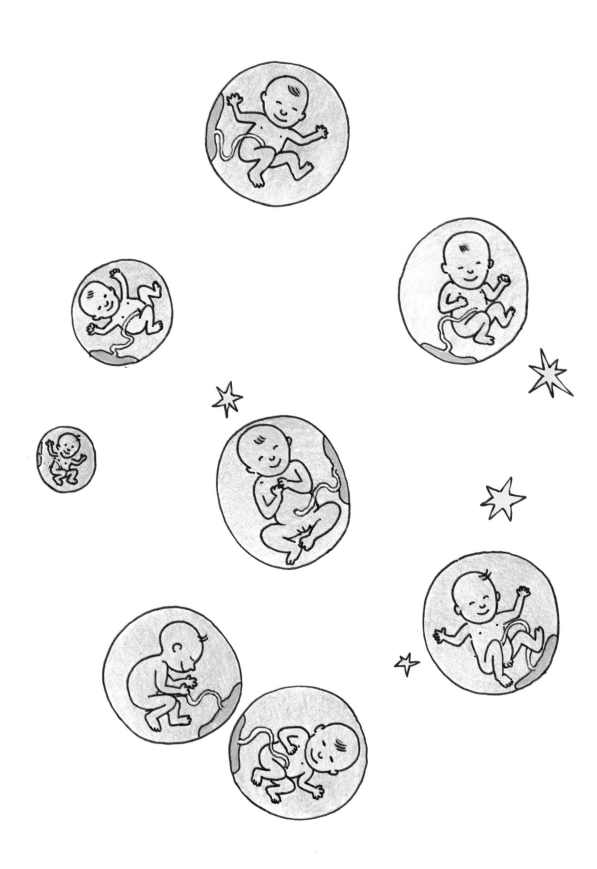

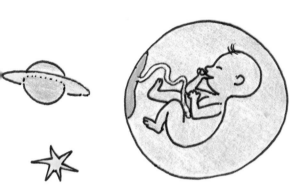

LA PLANÈTE BÉBÉ

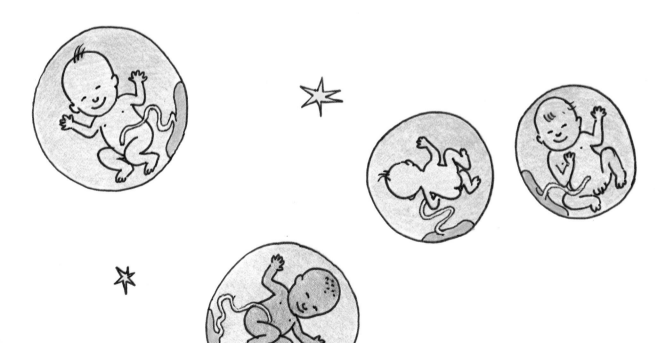

La grossesse est commencée, en secret, dans le ventre de la mère. Les parents n'en savent rien encore, même s'ils espèrent. L'enfant, lui, a déjà entamé le long chemin qui l'amènera à voir le jour : 9 mois, c'est aussi long qu'une année scolaire, mais quelle année ! La vie est au travail et il y a beaucoup de choses à faire.

L'aventure du futur bébé commence par un voyage : en effet, alors qu'il grossit déjà, l'œuf doit quitter la trompe de Fallope pour descendre dans l'utérus où il va s'installer (il mettra environ 4 jours pour y parvenir). *A ce moment-là, il ressemble à une toute petite mûre pleine de bosses.* Pourtant le voyage s'est passé en douceur : pour l'aider, la trompe de Fallope s'est transformée en véritable tapis roulant, elle ondule et les milliers de petits cils qui tapissent ses parois aident l'œuf à glisser.

Nidation :
1 Utérus
2 Trompe de Fallope
3 Œuf

Arrivé dans l'utérus, il choisit sa place et s'y enfouit comme dans un nid : c'est la nidation.

LA VIE DANS LES PLIS

Tout ce qui permettra à l'œuf de vivre et de se développer se met en place : il faut du confort et de la nourriture pour qu'un tout petit œuf devienne un joli nouveau-né.

Le nid se construit : pendant tout son séjour dans le ventre de sa maman, le bébé est enveloppé comme

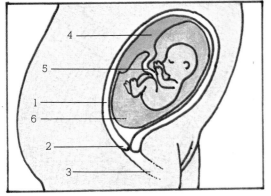

1 Utérus
2 Col de l'utérus
3 Vagin
4 Placenta
5 Cordon ombilical
6 Liquide amniotique

dans une bulle par les membranes. Elles sont d'abord tout près de lui puis, peu à peu, elles s'écartent sous la pression de l'eau qui les remplit : cette eau, c'est le liquide amniotique, le bébé flotte dedans comme un poisson dans l'eau, relié à sa maman par le *cordon ombilical* et le *placenta*.

Les membranes et le liquide amniotique forment un coussin plein d'eau qui protège le bébé des bruits trop forts et amortit les chocs.

Le placenta

Tout au long de leur aventure, le bébé et la maman doivent échanger beaucoup de choses pour que bébé puisse vivre. Alors, pour faire le lien, l'œuf crée très vite un organe merveilleux, le placenta.

Le placenta ressemble à un gros gâteau spongieux. D'un côté, il est accroché à la paroi de l'utérus, et de l'autre, il est à l'intérieur des membranes, relié au bébé par le cordon ombilical.

Le sang du bébé et celui de sa maman circulent à l'intérieur du placenta, ils passent tout près l'un de l'autre, si près que, sans jamais se mélanger, ils peuvent faire des échanges.

1 Veine de la mère
2 Artère de la mère
3 Cordon ombilical
4 Placenta
5 Membrane

25

Le cordon ombilical

Le cordon ombilical est une tige torsadée de vaisseaux sanguins, entourée d'une gelée molle et translucide. A la fin de la grossesse, ce cordon mesure 50 centimètres de long environ et a un diamètre de 1,5 centimètre.

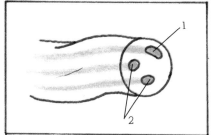

1 Veine ombilicale
2 Artères ombilicales

Il est comme un pont qui assure la circulation de la vie. Comme il est sans cesse traversé par du sang qui va du bébé au placenta et du placenta au bébé, il bat en permanence au rythme du cœur du bébé. Ces pulsations vont scander toute la vie du bébé avant sa naissance : c'est la musique d'avant toutes les musiques.

Les échanges

Les poumons du bébé ne fonctionnent pas encore mais il a déjà besoin d'oxygène. Cet oxygène, la maman l'a capté dans l'air en respirant et il est passé dans son sang. Elle le lui envoie par le placenta et le cordon ombilical ainsi que l'eau, les aliments et les vitamines qui lui sont nécessaires pour grandir : ils arrivent au bébé sous forme de minuscules petits morceaux invisibles à l'œil nu qu'on appelle des molécules.

Le placenta filtre des substances mauvaises pour le bébé, mais malheureusement, il laisse passer des virus et aussi l'alcool, les mauvaises substances des cigarettes et certains médicaments que la maman avale.

Le placenta stocke : par exemple le calcium et le fer dont le bébé aura besoin à un moment précis de son développement. Au cours de la grossesse, il évolue et fabrique des substances nécessaires au bébé, les hormones.

Le placenta élimine : le bébé se sert du placenta pour se débarrasser de ses déchets inutiles. Par exemple,

son pipi qui est sans odeur, sans couleur et sans goût ; heureusement, puisqu'il se mélange au liquide amniotique dans lequel le bébé baigne mais qu'il avale aussi ! Ce liquide se renouvelle en permanence.

Le placenta est un véritable ami qui rend au bébé des services indispensables. C'est un trait d'union entre la mère et son enfant. Il est en effet le seul organe que deux humains peuvent avoir en commun. Dans certains pays, et même en France il n'y a pas si longtemps, après la naissance de l'enfant, on enterrait le placenta au pied d'un bel arbre, un arbre fruitier de préférence : on pensait qu'il aiderait cet arbre à donner de bons et nombreux fruits, comme il avait aidé la mère à avoir un beau bébé.

UN PETIT HOMME POUSSE

Ces trois premiers mois sont les plus extraordinaires : c'est une véritable explosion de vie.

Pendant les premiers jours, *l'œuf* est une toute petite grappe de cellules qui se multiplient, toutes pareilles.

Et tout à coup, tout change : très vite les cellules produisent d'autres cellules qui ne leur ressemblent plus et qui se spécialisent pour réaliser des projets différents.

Le futur bébé se transforme à chaque instant alors que personne ne sait encore qu'il est là et qu'il est bien caché dans le ventre encore plat de sa mère, à l'abri dans sa bulle transparente. Il existe un autre mot plus joli pour désigner le ventre, c'est le giron. On ne l'emploie plus beaucoup aujourd'hui, malheureusement.

UN ŒUF PLEIN DE PROJETS

Dans chaque cellule il y a *un noyau*, c'est la partie intelligente de la cellule. Ce noyau contient un programme qui est un peu comme celui d'un ordinateur. C'est lui qui détient le plan du projet de vie, celui qui va permettre à ce petit œuf de devenir un être humain complet.

Les étapes de ce plan sont les mêmes pour tous les bébés du monde lorsque tout se passe normalement.

L'EMBRYON FAIT SES FEUILLES

15 jours après la fécondation, l'œuf est une petite plaque de 1 millimètre de long.

A la troisième semaine, cette petite plaque se divise en trois feuillets, exactement comme si c'était de la pâte feuilletée.

1 Perception
2 Muscles, squelette
3 Digestion

Les trois feuillets vont peu à peu s'enrouler sur eux-mêmes pour donner *l'embryon* : c'est ainsi qu'on appelle le bébé pendant les deux premiers mois de sa vie dans le ventre de sa mère.

— le premier feuillet, celui qui est à l'intérieur, donnera les organes digestifs.

— le deuxième feuillet, celui du milieu, donnera le squelette, les muscles, le cœur, les poumons et les reins.

— le troisième feuillet, celui qui est à l'extérieur, donnera tous les organes qui servent à communiquer : la peau, le système nerveux, les organes des sens (yeux, oreilles, etc).

UN PETIT CŒUR BAT

A la troisième semaine, le cœur de ce tout petit embryon commence à battre, en secret très souvent.

A la fin du premier mois, l'embryon mesure 4 à 5 millimètres et vit dans une petite sphère de 1,5 centimètre de diamètre. Il est enroulé sur lui-même ;

1	2	3

Taille réelle d'un fœtus :
1 — de 3 semaines
2 — de 4 semaines
3 — de 6 semaines

29

à une extrémité, il a une partie un peu renflée qui sera sa tête, à l'autre, une partie effilée qui formera le bas du corps. Il ressemble encore à un tout petit têtard avec une queue mais pas de pattes.

LE FŒTUS SE DESSINE

C'est pendant le 2e mois que l'apparence de l'embryon se transforme : son visage commence à se dessiner, les bras et les jambes apparaissent sous forme de petites palettes.

La tête se redresse, les oreilles prennent place, les yeux se recouvrent de paupières qui sont entièrement fermées, les doigts se dessinent avec les endroits où apparaîtront les ongles.

Les organes se mettent en place, ils sont minuscules mais très semblables à ce qu'ils seront définitivement.

Les organes génitaux se développent et si l'on pouvait les voir, on saurait maintenant si le bébé est un garçon ou une fille. A présent, même s'il ne mesure que 3 centimètres de longueur et ne pèse que 3 grammes, son corps est vraiment celui d'un petit d'homme, si bien qu'au début du 3e mois, cette minuscule personne ne s'appelle plus un embryon mais *un fœtus*. En général sa mère sait à ce moment-là qu'elle attend un enfant et ses parents se préparent à l'accueillir.

D'OÙ VIENNENT LES PARENTS ?

Sans bébé, pas de parents ! Ce tout petit œuf niché dans l'utérus transforme un homme et une femme en parents.

Ils avaient des vies différentes, chacun sa famille, chacun ses souvenirs, chacun ses projets et voilà que le bébé va tout chambouler.

Les fils des vies se mélangent pour former un tissu : sa famille. Une famille qui existe, qu'elle soit unie ou pas. Quel grand changement ! Car ce n'est pas pareil d'être un, puis deux, puis trois ou quatre ou plus, et parfois simplement deux si les parents vivent séparément.

Les voilà responsables chacun et ensemble de ce projet de vie. Ils rêvent ce bébé en devenir. Fille ou garçon ? Comment l'appellera-t-on ? Comment sera-t-il ? Comment sera-t-elle ? Jamais comme on l'imagine.

LE BÉBÉ CRÉE DES LIENS

Quelque part dans la même ville ou à des kilomètres les uns des autres, quatre adultes, qui parfois ne se connaissent pas, sont déjà liés entre eux par le bébé : les voilà grands-parents du même enfant.

Avec ses frères, ses demi-frères et demi-sœurs s'il en a, ses oncles, ses tantes, ses cousins et cousines, le bébé vient prendre sa place dans le cercle de la famille.

SIGNES DE VIES

Au bout de 3 mois, le bébé a déjà fait un chemin très important pour arriver à mettre en place tous ses organes, ceux qui assurent la vie de son corps et ceux qui lui permettent d'être en relation avec le monde extérieur et de communiquer avec lui.

A partir de là, toutes les expériences nouvelles vont stimuler son système nerveux, ses organes des sens et les aider à se développer. Le bébé est de plus en plus réceptif, il déploie son petit univers de sensations et prend même des habitudes. Il peut maintenant apprendre et, aidé par ses parents, partager le plaisir de communiquer. En même temps que son corps se développe, sa personnalité commence à se former : le monde extérieur lui fait signe.

4e MOIS : ÇA BOUGE

Au début du 4e mois, le bébé mesure environ 14 centimètres, il grossit et l'utérus s'étire pour lui faire plus de place. Aussi le ventre de sa mère s'arrondit et tout le monde sait maintenant qu'elle attend un enfant. Elle, le sait depuis longtemps, depuis son retard de règles. Elle a senti dans son corps les signes qui le lui ont fait espérer : un grand besoin de dormir, ou parfois des vomissements, ou des seins un peu gonflés et

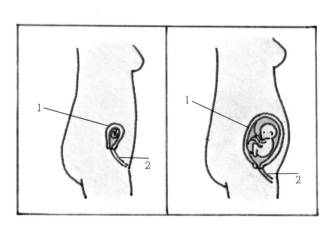

1 Utérus
2 Vagin

34

douloureux, peut-être des envies farfelues qui font sourire. Pour être tout à fait sûre, elle a fait un test de grossesse. Il était positif !

On la regarde autrement, on lui laisse une place pour s'asseoir, on lui raconte plein d'histoires de bébés et de femmes enceintes, on fait des plaisanteries avec le père.

Il y a des gens contents de la venue du bébé mais d'autres pas contents du tout, certains même sont très jaloux : c'est toute une histoire, ce ventre qui s'arrondit et dans lequel quelqu'un se met à bouger !

TOC TOC ! C'EST MOI !

Un petit frémissement sous la peau du ventre ou un petit bond comme celui d'un poisson ou bien un glissement soyeux : personne n'a rien vu, la maman seule a senti que quelque chose de nouveau se passait à l'intérieur de son ventre. Depuis longtemps déjà le bébé se déplaçait ou remuait mais il était si petit que sa maman ne pouvait encore rien sentir. Mais cette fois-là, pour la première fois, son bébé lui a fait signe.

A l'intérieur de sa maison liquide, il remue tout doucement dans l'eau qui clapote. Bientôt, quand il aura encore grossi, à partir du 4e ou 5e mois, on pourra suivre ses mouvements en posant les yeux ou bien la main sur le ventre de la maman.

1 Cordon ombilical

A 6 mois, le bébé ressemble déjà à un nouveau-né. Sa tête est seulement un peu plus grosse par rapport à son corps. Mais ses bras, ses jambes, ses pieds et ses mains sont là, on peut compter les petits doigts. Et surtout, ses petites oreilles fonctionnent.

À L'ÉCOUTE

Pour avoir l'idée de ce que le tout petit bébé entend dans le ventre de sa maman à ce moment-là, on peut quand on nage sous l'eau fermer les yeux, la bouche, se mettre à l'écoute de son propre corps et des bruits extérieurs assourdis.

Voilà comment cela se passe pour le bébé : les bruits, surtout les sons graves, font vibrer le liquide amniotique qui touche sa peau. Aussi est-ce par le contact des toutes petites vagues sur sa peau qu'il ressent d'abord les bruits. A partir du 5e mois, ses oreilles fonctionnent. On a pu enregistrer avec un micro l'univers sonore du bébé à l'intérieur de l'utérus (c'est le disque qui accompagne le livre). Ce n'est pas du tout silencieux la vie d'avant la naissance. On entend :

boum, boum, les battements du cœur de sa maman
chaf, chaf, le souffle de sa respiration
glouglouglop, les mille petits bruits de sa digestion
et aussi
le placenta qui chante, tssi tssi
le cordon ombilical qui bat, vaoum vaoum
le sang qui circule, tchouf tchouf
et puis
toutes les autres musiques du corps.

Avec les bruits qui arrivent de l'extérieur, tout cela fait un beau concert !

LE FIL DE LA VOIX

Les conversations entre ses parents et ses frères et sœurs rendent leurs voix et leurs intonations familières au bébé. On sait qu'il perçoit le bruit des voix venant de l'extérieur, celle de son père en particulier, il aime bien cette voix-là : on a remarqué que certains bébés se déplacent dans l'utérus pour venir de son côté et mieux l'entendre.

La voix de sa mère, elle, ne le quitte jamais. A la naissance, comme le petit poussin, le bébé la reconnaît : le poussin qui sort de sa coquille retrouve tout seul sa maman poule, même si elle n'est pas à côté de lui. Il lui suffit de l'entendre caqueter pour savoir que c'est cette maman-là qui l'a couvé.

Il ne faut donc pas se priver du plaisir de parler au bébé, même avant sa naissance : si plus tard la vie l'inquiète, ces voix qui l'ont accompagné pourront l'aider à se rassurer.

LA RUMEUR DU MONDE

Quand il y a de la musique, le bébé peut l'écouter. On peut ainsi lui faire partager le plaisir des disques et des concerts. Mais il a déjà ses préférences : on connaît des bébés qui se mettent à gigoter si fort qu'ils obligent leur maman à arrêter le disque ou à quitter la salle.

Le bébé dans le ventre de sa maman apprend à connaître les bruits et il s'y accoutume, le bruit des avions par exemple : c'est un bruit qui ne gênera pas le bébé après sa naissance s'il y a été habitué auparavant. A condition bien sûr que sa maman ne sursaute pas à chaque fois.

Mais il peut y avoir aussi des bruits violents, des portes qui claquent, des objets qui tombent, des cris de gens qui se disputent : ces bruits-là, c'est dérangeant, tous ceux qui sont déjà nés peuvent le dire.

On pense que certains bébés, lorsqu'ils ne veulent pas entendre ces bruits désagréables, peuvent se coller la tête tout contre le placenta pour retrouver la petite chanson bien connue.

CŒUR À CŒUR

Le bébé est si bien placé tout près du cœur de sa maman qu'il est le premier à ressentir ses joies et ses peurs : si elle est émue, surprise ou effrayée, son cœur se met à battre plus vite, celui du bébé aussi ; ils battent ensemble et le bébé manifeste son émotion en déglutissant plus souvent.

Déglutir, c'est le mouvement que nous faisons pour avaler. Le bébé joue avec son cordon ombilical, il caresse le placenta, parfois il suce son pouce, peut-être même qu'il baille comme sa maman. D'ailleurs il passe beaucoup de temps à dormir.

Et puis il y a aussi des moments de récréation. Quand la maman se repose, les parois de l'utérus sont plus souples. Le bébé peut encore mieux changer de place et s'étirer.

Et comme il aime le contact d'une main affectueuse, on peut même jouer avec lui, il se déplace pour venir à sa rencontre.

Lorsqu'il aura bien grossi, on pourra s'amuser à deviner si c'est son pied, sa tête ou son coude qu'il vient ainsi faire caresser.

LES GOÛTS DE LA VIE

Pendant la grossesse, le bébé ne se sert pas de sa bouche pour se nourrir mais il s'amuse à avaler. C'est ainsi qu'il devient sensible aux goûts, car le goût du liquide amniotique change : il dépend de ce que mange la maman.

Si le liquide amniotique est sucré, le bébé déglutit deux fois plus vite. C'est peut-être de là que vient le goût des sucreries.

Le liquide amniotique peut aussi prendre une très légère odeur si les menus de la mère sont très forts : on connaît des bébés indiens qui, à leur naissance, sont très légèrement parfumés au curry !

PREMIÈRES LUEURS

La lumière sera l'une des grandes découvertes du bébé à sa naissance. Mais sa vision se développe tout doucement, si bien qu'un peu avant sa naissance, on peut lui faire signe avec une lumière très forte qu'on approche du ventre de sa mère : le bébé répond en s'approchant. Il perçoit la lumière un peu tamisée comme nous lorsque nous savons, avant même d'ouvrir les yeux, que le soleil est levé ou la lumière allumée.

FIN PRÊT

Le bébé est maintenant presque prêt à naître : plus qu'un mois pour les derniers préparatifs.

S'il était un peu trop pressé et qu'il naisse maintenant, ce ne serait pas grave pour lui : il serait seulement un peu moins potelé, un peu plus fragile, et il se priverait de ce dernier mois de nid douillet.

Dehors, il fera moins chaud : son corps s'enveloppe d'un petit édredon de tissus graisseux.

Dehors, il faudra bouger sans être porté par l'eau ; ses muscles et ses os se fortifient.

Dehors, il y aura de l'air : ses poumons se préparent à respirer en tapissant toutes leurs petites alvéoles qui sont prêtes à se déplisser.

Pendant ce dernier mois, il prend environ un kilo. Sa maman aussi a beaucoup grossi, elle est un peu encombrée par ce gros ventre et elle se fatigue facilement. Elle sent que le bébé est plus calme en elle : comme il a maintenant moins de place dans l'utérus, il bouge moins.

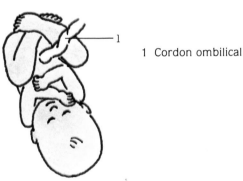

1 Cordon ombilical

Bientôt il prend la position qu'il aura pour naître : la tête la première, légèrement inclinée, ses bras et ses jambes repliés sur sa poitrine.

Certains d'entre nous aiment bien retrouver plus tard la position fœtale, pour s'endormir par exemple, ou bien quand ils ont des soucis ou qu'ils sont tristes.

Tout le monde attend maintenant impatiemment le grand jour : on va enfin pouvoir faire connaissance.

Bonjour à tous les trois !

Quelle détente, une bonne douche !

Un petit déjeuner bien complet.

Courir pour attraper l'autobus secoue un peu.

La consultation chez le médecin.

Quel inconfort pour la maman et le bébé de rester assis trop longtemps !

DEUX

De qui parlent-elles, du bébé peut-être ?

Une dispute, c'est toujours désagréable.

A la piscine comme deux poissons dans l'eau.

Dommage ! Le parfum des fleurs
ne parvient pas au bébé.

Mozart, bébé aime bien.

Bonsoir à tous les trois !

NAÎTRE

Il arrive un moment où le bébé a assez de forces en lui, où son corps est suffisamment construit : il doit poursuivre sa vie en dehors du corps de sa maman.

Cet extraordinaire passage vers le monde extérieur, c'est la naissance.

Naître, cela veut dire que pour la première fois de leur vie, le bébé et sa maman se séparent : le bébé sort du ventre de sa mère, il quitte son univers liquide et entre dans ce qui est tout à fait nouveau pour lui : l'air et la lumière.

Là, il se met à respirer tout seul. Alors la circulation de son sang se modifie, il n'a plus besoin du cordon ombilical : il se détache définitivement du corps de sa mère, il quitte son ami le placenta, c'est un nouveau-né.

Ce jour-là ses parents et lui vont vraiment faire connaissance. Il entre dans le cercle de famille qui s'agrandit.

LE BON MOMENT

Personne ne sait exactement ce qui donne le fameux signal de la naissance, mais un jour, c'est le bon moment pour que le petit homme passe. La plupart des petits bébés mammifères peuvent prendre tout leur temps dans le ventre de leur mère pour se préparer. Le bassin de leur mère est large et peut laisser passer de très gros bébés.

Le bassin de la femme, lui, est très étroit ; aussi le bébé ne peut-il attendre plus de 9 mois : 9 mois, c'est le bon moment, plus tard ce serait trop tard, il serait trop gros, plus tôt ce serait trop tôt, il risquerait d'être trop fragile.

Le petit d'homme est le moins fort des bébés mammifères : quand il naît, certains de ses organes, ses os, son système nerveux ne sont pas tout à fait terminés. Aussi, pas question pour lui de se lever et de gambader quelques minutes après sa naissance, comme le petit poulain ou le petit veau.

UNE DATE POUR TOUTE LA VIE

Un jour ou une nuit : tout d'un coup la maman ressent quelque chose de très fort dans son corps, comme un grand bouleversement. Elle a déjà ressenti cela auparavant, son utérus qui se contracte dans son ventre et qui durcit, mais cette fois, c'est de plus en plus fort, cela dure plus longtemps et puis cela recommence. C'est une grande émotion pour la maman qui ne s'y trompe pas : *le bébé demande à sortir.*

Parfois les membranes qui entourent le bébé se déchirent et le liquide amniotique s'écoule, cela fait une belle inondation cette rupture de la poche des eaux !

EN ROUTE

Il est temps de partir alors pour la maternité : la maternité, c'est la partie de l'hôpital ou de la clinique qui accueille les bébés qui veulent naître et les mamans qui veulent accoucher.

Souvent la maman a préparé à l'avance une petite valise dans laquelle elle a mis les premiers vêtements du

47

bébé et quelques affaires pour elle aussi, puisqu'elle va rester là plusieurs jours. Mais on a déjà vu des mamans si impatientes qu'elles partaient en oubliant leur valise !

A la maternité, les parents sont accueillis par l'accoucheur qui est un médecin ou par la sage-femme qui est spécialiste des accouchements.

Tout le monde s'affaire autour de ce bébé qu'on ne voit pas encore. On écoute son cœur, on examine sa mère. Le voyage a bien commencé. Alors on installe le papa et la maman dans une chambre où ils sont tranquilles pour défaire la valise et se mettre à l'aise. Puis, à deux, ils vont chercher la position la plus confortable pour la maman pendant que le bébé descend et que le col se dilate : allongée, debout, assise, dans un bain, chacune a sa façon et son envie de vivre cet extraordinaire moment.

En tout cas, il y a de l'émotion dans l'air, le papa et la maman sont à la fois heureux et un peu nerveux : c'est un moment grave mais c'est aussi une fête.

De temps en temps, la sage-femme vient aux nouvelles : où en est le bébé ? Est-ce que la maman va bien ?

Ces vagues qui agitent l'utérus, le pressent et le rendent dur, ce sont les contractions, elles poussent le bébé vers la sortie.

Tout s'agite dans le petit nid qui était si douillet, aussi plus question d'y rester, il faut sortir.

Le bébé fait son chemin doucement dans le bassin de sa maman. Mais la manœuvre est délicate et il n'y a pas de marche arrière sur ce chemin-là.

LE CHEMIN

La poche dans laquelle se trouve le bébé ressemble à un gros ballon rempli d'eau qui repose sur le bassin : le bassin est comme un entonnoir en os, plus étroit à la sortie qu'à l'entrée, et il forme un angle. C'est un toboggan (tunnel en pente) dans lequel le bébé doit se glisser pour sortir, après la rupture de la poche des eaux.

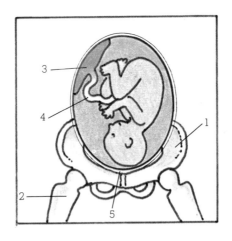

1 Bassin
2 Fémur
3 Placenta
4 Cordon ombilical
5 Utérus

Pour cela, il doit courber sa tête et sa colonne vertébrale en tournant sur lui-même dans un mouvement de spirale, comme une vis.

49

Franchir le col

Le bébé doit sortir de l'utérus par son ouverture qu'on appelle le col. Habituellement, c'est un tout petit couloir de quelques millimètres de diamètre seulement mais il est élastique. Il s'élargit et s'aplatit complètement au moment de la naissance pour laisser passer l'enfant.

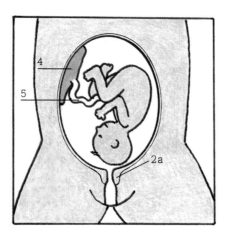

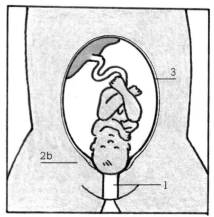

1 Vagin
2 a Col de l'utérus - b complètement dilaté.
3 Utérus

4 Placenta
5 Cordon ombilical

Enfin, le bébé doit encore franchir l'anneau de muscles qui entourent le vagin de sa mère que l'on appelle le périnée. Et il sort, la tête la première, par le sexe de sa maman.

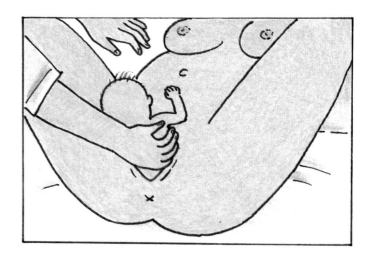

César et césarienne

La tête la première, c'est la position la plus facile pour naître. Mais parfois le bébé présente son derrière en premier, on appelle cela naître par le siège, c'est un peu plus compliqué de naître ainsi.

1 Position en siège
2 Position tête en bas, la plus fréquente
3 Position transverse

1   2   3

Si le bébé hésite un peu trop et qu'il ne sait plus très bien quelle partie de sa personne présenter en premier, il peut rester en travers dans le bassin de sa maman.

La porte naturelle n'est vraiment pas assez large pour qu'il puisse naître ainsi et l'on est obligé de faire une ouverture dans le ventre de la maman pour le sortir. C'est une césarienne. Cette opération permet de sortir rapidement de l'utérus de la mère les bébés, lorsqu'ils sont malades, fatigués, mal placés ou bien lorsque l'accouchement risque d'être dangereux pour la mère.

On raconte que l'empereur romain Jules César est le premier à être né ainsi, et c'est lui qui aurait donné le nom de césarienne. Aujourd'hui, c'est une opération qui se fait souvent et se passe très bien.

Du travail pour tout le monde

Un bébé est en train de naître. C'est un grand travail en commun. Tout le monde s'y met.

Le bébé d'abord, qui cherche son chemin, il appuie sa tête sur le col de l'utérus qui se dilate.

51

La maman, qui l'accompagne de tout son corps et de tout son cœur.

Le papa, qui aide l'enfant et sa mère, il se place derrière elle, qui s'appuie contre lui. A eux deux, avec leurs mains posées sur le ventre de la maman, tout doucement ils guident la sortie de l'enfant.

La position d'accouchement montrée ici est une de celles pratiquées en haptonomie. C'est une méthode de préparation à l'accouchement, à la naissance et à l'accueil du nouveau-né.

La sage-femme enfin, qui veille à tout, prête à agir si nécessaire.

LE JOUR AU BOUT DU TUNNEL

Enfin, le passage est complètement ouvert, la tête du bébé franchit le bassin, sort de l'utérus, il lui reste encore à traverser le sexe de sa maman : on voit ses cheveux !

Encore un effort pour tout le monde et il sera là. Il sort la tête, la sage-femme surveille : si le cordon ombilical était enroulé autour de son cou, il faudrait le dégager tout de suite.

Son épaule apparaît et, très vite, il glisse dehors son corps tout entier.

IL EST LÀ !

Il est là, un peu fripé d'avoir été si serré dans le tunnel, tout enduit d'une fine couche blanche, le vernix, qui est comme une crème et protège sa peau fragile.

On le reçoit tendrement et on le pose sur le ventre de sa maman. Peau contre peau, c'est le premier contact avec ses parents.

« C'est une fille » ou bien « c'est un garçon », on lui donne son prénom : il est vraiment là ! Cette toute petite personne unique au monde vient prendre une place énorme dans la vie. Il est encore entre deux mondes, il est dehors mais toujours relié au dedans par son cordon ombilical qui bat. Son placenta est resté dans l'utérus.

LE TOURBILLON DE LA VIE

Venir au monde, c'est un moment très fort, beaucoup de choses arrivent vite et en même temps.

La grande affaire du bébé, c'est l'étonnante sensation de l'air qui remplit ses poumons : au passage, il caresse les cordes vocales et c'est une autre grande découverte pour lui et pour ses parents : le son de sa voix !

Certains crient, d'autres font des petits bruits charmants que les parents n'oublieront jamais, chacun a sa manière de saluer le monde.

La première respiration du bébé bouleverse beaucoup de choses : l'air s'engouffre brutalement en une grande bourrasque à l'intérieur de ses poumons qui se déplissent. Les petites grappes sèches, les alvéoles, se gonflent d'air brutalement comme des milliers de petits ballons et les poumons commencent leur travail, travail qui ne s'arrêtera qu'à la fin de la vie : inspirer, expirer, inspirer. En même temps, son cœur se transforme pour utiliser l'oxygène de l'air : dans les heures qui suivent la naissance, ses cloisons intérieures se ferment.

À LA DÉCOUVERTE DU DEHORS

Jusqu'à maintenant, ce qui parvenait du dehors au bébé, les bruits, les lumières, les contacts étaient amortis par son petit matelas liquide.

Brusquement, cela devient plus fort et plus excitant. La vie est une grande vague de sensations qui déferle sur le bébé. Ses cinq sens sont en éveil, c'est un bain d'odeurs, de bruits, de mouvements, de lumières. Les bercements, les caresses, les goûts, l'air sur sa peau, tout est nouveau, tout a changé. A aucun moment de sa vie, il ne sera aussi sensible. Jamais on ne saura raconter cela exactement.

Dans ce grand bouleversement, il retrouve aussi les mains tendres de ses parents, leurs voix : la tête posée contre la poitrine de sa maman, il peut aussi reconnaître le bruit de son cœur qui bat, de sa respiration, il se sent en sécurité.

COUPEZ LE CORDON !

Lorsque le cordon ombilical cesse de battre, c'est que le bébé n'a plus besoin du placenta pour vivre, on peut alors couper le cordon, ce qui ne fait pas mal, et on le ferme avec une petite pince en plastique.

Le corps du bébé devient complètement autonome, c'est avec son nez qu'il respire, avec sa bouche qu'il s'alimente, avec sa vessie et ses intestins qu'il rejette ses déchets.

Le nombril

Au bout de quelques jours, il ne restera plus du cordon qu'une jolie petite trace sur le ventre : *le nombril*. Qu'il soit rond ou un peu moins rond, qu'il soit creux ou qu'il ressorte, c'est une petite cicatrice qui restera toujours très sensible et un peu mystérieuse.

On dit pour rire de ceux qui ne pensent qu'à eux qu'« ils se prennent pour le nombril du monde » ou bien qu'ils passent leur temps à « se regarder le nombril ». C'est dire combien il reste précieux, ce petit souvenir de la racine de vie.

ADIEU PLACENTA

Environ dix minutes après la naissance, la maman sent que son utérus se contracte à nouveau : le placenta se décolle et à son tour il est poussé dehors. Cela s'appelle la délivrance.

Maintenant il ne sert plus à rien et sa petite chanson se tait pour toujours, le bébé perd son premier compagnon : qui sait ce qu'il ressent à ce moment-là ?

Les adultes, eux, sont tranquilles : l'accouchement est vraiment terminé.

PREMIÈRE TÉTÉE

Ce tout petit bébé qui vient de naître est déjà bien installé et il a assez d'énergie pour aller tout seul chercher son premier repas : si on le laisse faire, il rampe tout doucement jusqu'au sein de sa mère.

Le lait qu'il tète ce jour-là s'appelle le colostrum, il est très précieux pour le bébé car il est rempli d'anticorps, c'est-à-dire de substances qui protègent le bébé des infections pendant les premiers mois de sa vie.

PREMIÈRE JOURNÉE

Dans la première journée de sa vie, le bébé rencontre un médecin qui l'examine, l'ausculte et vérifie que tout va bien : quel poids ? 2 kilos, il est menu, 4 kilos, c'est un gros bébé ! Quelle grandeur ? Le cœur et les poumons, c'est normal ? Et les organes génitaux aussi ? Un, deux, trois, quatre, cinq, les doigts de pied sont tous là ? Et les réflexes sont-ils bons ? On surveille attentivement l'arrivée du méconium, c'est le premier caca du bébé et le dernier vestige de sa vie dans l'utérus.

LE CALME APRÈS LA TEMPÊTE

Il a pris son premier bain. Sur son ventre il y a un petit pansement : c'est la compresse qui entoure le bout de cordon qui reste. Ensuite on l'a habillé chaudement.

Maintenant, on le regarde et on s'apprête à raconter l'histoire de sa naissance.

UN BÉBÉ DONT ON PARLE

Il a des cheveux ou pas du tout, ou bien seulement un petit duvet de poussin. Il est tranquille ou bien il gigote. Il crie, il vagit ou bien il est silencieux. Ses yeux sont ouverts ou fermés. Il a peut-être un petit grain de beauté, on peut le voir sourire ou l'entendre pleurer.

A qui ressemble-t-il ? A-t-il le nez de son papa, le menton de sa grand-mère, les mains de sa maman ?

Peut-être a-t-il fait pipi tout de suite en arrivant et la sage-femme a été toute arrosée. Peut-être est-il né « coiffé », ce qui veut dire que les membranes lui recouvraient encore la tête comme un petit bonnet.

Les paroles autour de lui tressent le récit de son entrée dans la vie.

LA RONDE DES RENCONTRES

Après le grand bouleversement de la naissance, la maman et le bébé sont bien fatigués, chacun s'endort de son côté : un peu de repos est nécessaire avant de s'élancer dans la ronde des rencontres.

Ses repas, son bain, sa toilette sont une suite de rendez-vous. Ils sont indispensables et l'enrichissent, car ce petit homme curieux de tout a besoin de

communication autant que de lait : les objets qu'il découvre, les personnes qui lui parlent sont aussi importants pour lui que les soins qu'on lui donne.

Lui-même s'exprime à sa manière, avec son corps en attendant de connaître les mots : pleurer, vomir, refuser de téter, regarder, contracter ses muscles, sourire, c'est tout un langage qui s'adresse à qui sait l'entendre.

L'AVENIR

Lorsqu'il vient au jour, sa famille a une histoire et beaucoup d'idées sur lui qui a déjà sa personnalité, ses préférences, ses goûts et ses dégoûts.

D'aventure en aventure, de joies en chagrins, il se fait son idée du monde qui l'entoure et ce monde qui l'entoure le façonne peu à peu.

C'est ainsi qu'il va grandir, former son caractère et tisser sa propre histoire en faisant avec d'autres qui sont différents de lui, son chemin de vie. En gardant enfoui au plus profond de lui, dans son cœur et dans son corps, le souvenir secret de ce moment si fort où il est entré dans le monde.

HISTOIRE DU DISQUE

Dans ce livre nous vous avons présenté tous ceux qui veillent sur la mère et l'enfant pendant la grossesse et la naissance : dans le nord de la France, à la maternité Paul Gellé à Roubaix, une équipe formidable s'intéresse tout particulièrement à ce qui se passe dans la vie du bébé avant sa naissance.

Sans arrêt ils apprennent des choses étonnantes et aujourd'hui, ils nous font partager ce qu'ils savent. Pour essayer de connaître l'univers sonore de l'enfant dans le ventre de sa mère, les médecins ont eu l'idée de placer un tout petit micro dans l'utérus d'une maman, après la rupture de la poche des eaux (peu de temps avant la naissance). On ne sait pas très bien pour l'instant comment l'enfant entend les bruits, peut-être pas tout à fait comme nous, mais on est sûr que ces sons que vous allez entendre sur le disque sont ceux qui parviennent à ses oreilles.

L'équipe qui a réalisé ces enregistrements est composée de :

— Xavier Renard est un spécialiste de l'audition. Il s'occupe des petits appareils que l'on place dans les oreilles pour mieux entendre.

— Denis Querleu et Fabienne Versyp sont accoucheurs, ce sont eux qui veillent à ce que tout se passe bien pour la maman et son enfant pendant la naissance.

— Maurice Titran est pédiatre, c'est lui qui s'occupe de la santé du nouveau-né et suit son développement.

— Le professeur Crépin est le chef de la maternité où ils travaillent tous.

Nous les remercions beaucoup de nous avoir permis d'utiliser leurs enregistrements.

Catherine Dolto — Colline Faure-Poirée

ISSN 0758.5926.
Dépôt légal n° 6401, septembre 1985
Loi n° 49 du 16 juillet 1949
sur les publications destinées à la jeunesse.

Imprimé en Belgique par Casterman S.A. Tournai.

DOCTEUR CATHERINE DOLTO

NEUF MOIS POUR NAÎTRE

LES AVENTURES DU BÉBÉ DANS LE VENTRE DE SA MAMAN

IMAGES DE VOLKER THEINHARDT

HATIER

SOMMAIRE

© Hatier Paris, 1985 ISBN 2.218.07163.0.